TINDA'S TIMELESS OUTFIT

一生、黒をオシャレに着る

Illustration by 珍田

3

BLACK
for stylish coordination

TINDA'STIMELESSOUTFIT3Blackforstylishc
oordinationTINDA'STIMELESSOUTFIT3Blackfo
rstylishcoordinationTINDA'STIMELESSOUTF
IT3BlackforstylishcoordinationTINDA'STIME
ESSOUTFIT3BlackforstylishcoordinationTIND
A'STIMELESSOUTFIT3Blackforstylishcoordi
ation **TINDA'S** TIMELESSOUTFIT3Blackforsty
ishcoordinationTINDA'S **TIMELESS** OUTFIT3B
lackforstylishcoordinationTINDA'STIMELES
OUTFIT3BlackforstylishcoordinationTINDA'S
TIMELESS **OUTFIT3** Blackforstylishcoordina
ionTINDA'STIMELESSOUTFIT3Blackforstylish
coordinationTINDA'STIMELESSOUTFIT3 **Blac**
forstylishcoordinationTINDA'STIMELESSOUT
FIT3Black **for** stylishcoordinationTINDA'STIM
ELESSOUTFIT3Blackfor **stylish** coordinationT
INDA'STIMELESSOUTFIT3Blackforstylishcoo
dinationTINDA'STIMELESSOUTFIT3Blackfors
ylish **coordination** TINDA'STIMELESSOUTFIT
3BlackforstylishcoordinationTINDA'STIMELE
SSOUTFIT3BlackforstylishcoordinationTINDA
'STIMELESSOUTFIT3Blackforstylishcoordina
ionTINDA'STIMELESSOUTFIT3Blackforstylish
coordinationTINDA'STIMELESSOUTFIT3Black
orstylishcoordinationTINDA'STIMELESSOUTF
IT3BlackforstylishcoordinationTINDA'STIMEL

TINDA'S TIMELESS OUTFIT3
Black for stylish coordination

拙作も３冊目となりました。
これまでの２冊は、ターゲットを問わないファッションを描いてきましたが
今回はより一層、年齢も性別も問わないコーディネートを多く収録しています。

ただひとつ絞ったことは、「黒」を使ったファッションであること。

黒のファッションアイテムは私の好みであり
ファッションイラストにも欠かせない存在なのですが、
老若男女誰でも着られて、
流行りを問わないところもいいですよね。

黒というと、地味になってしまうとか暗い印象があるとか
「つい買ってしまう無難な色」とか
ネガティブなイメージを持つ人もいるかもしれません。

でも捉え方を変えれば、いかようにもオシャレにできる可能性があるということ。

印象的な色ではない分、
合わせる別の色、小物、シルエット次第で
多様に表情を変え、予想もしなかったほど垢抜けた顔を見せてくれることもあります。

地味で無難ということは「便利」ということ。
その便利を、少しの工夫で素敵なものに変えられたら
明日出かける楽しい予定がもっと楽しくなるし、
行きたくない仕事や学校も、まぁ行ってやるか、の気持ちになれそうじゃないですか？

友達、パートナー、親子、みんなで
この一冊を楽しんでいただければ幸いです。

prologue

Profile

珍田 ---- イラストレーター。
Instagram、Xで二次創作、趣味絵、ファッションイラストを投稿。
現実世界に存在するハイブランド品やトレンドアイテムを使ったイラストが特徴で、
ファッション雑誌のように楽しめることが支持され多くのフォロワーを集める。
ESSEonlineでの連載「妄想着回し絵日記」ほか、
書籍の挿絵や女性ファッションメディアでも活躍。
1冊目「明日がちょっと、楽しい服」(2021年)、
2冊目「着回す、毎日が変わる、私も変わる」(2022年)が発売以降好評で、今作発刊。
Instagram▶TINDA_FASHION　X▶@TINDA_OUTFIT

Cont

15

Five
tips
for
wearing
black
fashionably

Five
tips
forwe
black

Stylishly
Coordinate
Black

1

まずは私が黒を着るときに素敵だと思う
5つのことをご紹介します。
この本のイラストにたくさん出てくるポイントです。
オシャレに正解はないので
こうでなければ間違いだと思わず、
こう考える人がいる、
という程度に知っていていただけたら
という気持ちです。
黒のオシャレに迷ったとき、
少しの力になるかもしれません。

黒を素敵に着る
5つのこと

Rule 1

黒い服を飾る小物を持つ

Five tips for wearing black fashionably

このイラストは、ネックレスが1つだけでも可愛いし、
2つあると都会的。
3つあると華やかで、小さいバッグが入ると若々しい雰囲気。
何もつけずともまた素敵ですが、
場合によっては少し地味に感じるかもしれません。

こうして、合わせる物で印象をガラッと変えられるのが
黒の楽しみ。
それはつまり、いくらでもオシャレを
コントロールできるということ。
黒をどう自分らしく染めるかは、小物にかかっています。
黒をどう着たいか考え、
それに合う自分らしい小物を揃えてみると、
黒のオシャレがグッと楽しくなるはずです。

Rule 2

黒を2つ以上使うなら
テイストの違う物を合わせる

Five tips for wearing black fashionably

スポーティーなコーディネートだけどテーラードジャケット。
甘いコーディネートだけどデニム。
このギャップが黒をオシャレに見せてくれるし、
逆を言えば、黒があればこそ、
このギャップがキレイにまとまります。

全部を同じテイストのもので揃えてしまうと
メリハリがなく無難に見えて、
オシャレさを出すのが難しい。
黒に頼って、思い切って違うテイストの
物を合わせてみてください。
意外な組み合わせこそ"オシャレ"の正体です。

Rule 3

自分に似合うシルエットを見つける

Five tips for wearing black fashionalbly

ごまかしの効かなさも黒のメリットでありデメリット。
着る人の雰囲気をそのまま映し出し、
体型の長所も短所も際立たせる色です。
だから、シルエットにこだわるのが大事。

この3体のイラストは、サイズ違いのシャツを着た様子。
自分の体型の長所、短所をどう見せたいかとか、
顔立ち、骨格によって選びたいシルエットは違うはずです。
どんなシルエットが自分の良さを
引き出してくれるのかを知っておくと、
黒をもっと自信を持って着られるはずです。

Rule

4

ヘアメイクは
ほんのり派手に

5

自信が持てる
黒だけを選ぶ

Five tips for wearing black fashionally

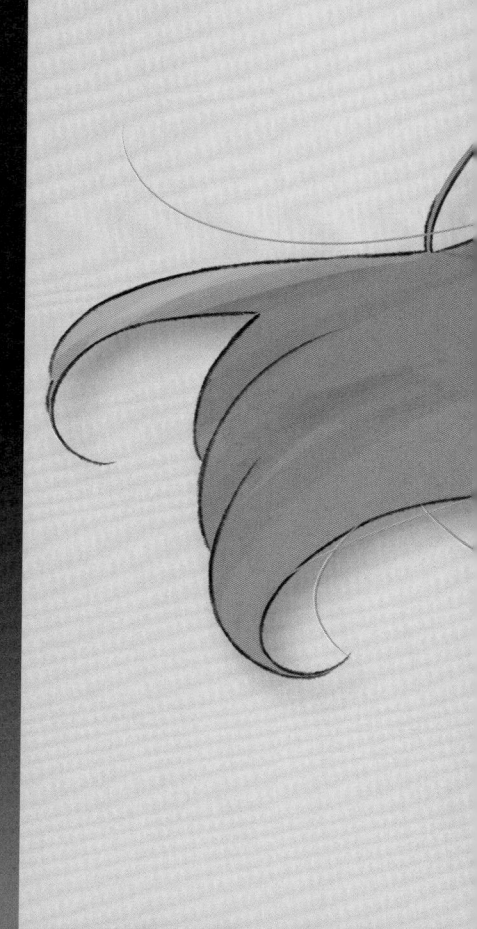

チークやリップをいつもより
発色の良い物で仕上げたり、
アイラインを太くしたり、
髪を下ろしてゴージャス感を出したりすると、
地味な黒から華やかな黒に転換できます。

ある著名な方の発信で「黒は300色ある」の
言葉が広まりましたが
黒でも自分に似合う色とそうでない色があります。
素材によっても黒の印象は様々です。
「黒は無難だから大丈夫」と油断することなく、
着ていて自信が持てる黒を選ぶこともまた
黒を素敵に着る上で欠かせないポイントです。

Stylishly

Coordinate

Black

Black

x

basic

colors

PART 2

ベージュ、グレー、白、デニムなど、
ベーシックな色と黒は迷いなく合わせられる分
オシャレに見せるのが難しい面も。
地味に見えない配色バランスや
着こなしを、色別で考えました。
黒を使う分量を変えていくと
コーディネートの季節感が変わっていく様子に
注目してみてください。

黒×ベーシックカラー

with
BLACK

Black × basic colors

髪・瞳・カラス・鉛筆・オニキス・
ブラックパール・炭・黒豆・ウニ

A

B

A.全身黒でもオシャレに見えるのはアイテムすべてのトーンや素材が違うから。「黒は300色ある」と話題になったフレーズの通り、黒の色の違いを楽しんでコーディネートするのもアリ。**B.**タイツだけグレーにして抜け感を出すのも◎。

C.黒でそろえればラフなボーダーだって洗練される。黒は雨濡れが目立たない利点も。好きな色の傘でコーディネートを仕上げるのは雨の日だけの特別な楽しみ♡ D.女性らしいアイテムだけでまとめても全身黒ならクラシカルに落ち着く。

with

BLACK

Black x basic colors

A

B

C

D

A.カバー(表紙)と同じく、ドレス×スニーカーの異色な組み合わせがオシャレ慣れたムード。スニーカーのグレーが程よい抜け感に。B.グレーデニムのぼんやりした色がいいメリハリに。キレイめなミニバッグでハズすのが都会的。C.ごくシンプルな秋冬スタイル。のっぺり見えないようパンツはセンタープレスで。ローカットスニーカーで足首を見せると全身黒でも重くない。D.こちらはシンプルな春夏スタイル。腕や足の甲の露出があれば地味になる心配は無用。

with

CAMEL

B l a c k x b a s i c c o l o r s

キャラメル・らくだ・レオパード・
カフェラテ・アーモンド・栗・
土・木・クマ・ゴールデンレトリバー

<u>A</u>

B

D

C

A.白シャツを加えると黒×キャメルが春らしく軽やかに見違える。**B.**シャツワンピ×スカートのシンプルな組み合わせだけど黒×ダークキャメルで寒い季節が似合う装いに。**C.**普通のTシャツ×パンツでもトーン違いのキャメルで揃えれば都会的。夏の黒×キャメルは黒を少なくすると涼しげに見える。国が違う地名ロゴを投入するような遊びを楽しむのも良し。**D.**体のラインにフィットするスタイリングは、シルエットがすっきり見えるから黒×キャメルでもくどくなく夏らしい。

with
BEIGE
Black x basic colors

ミルクティー・カゴ・パンパスグラス・ピーチ・
アルパカ・ライオン・柴犬・梨・大豆・砂漠

A

B

A.ライトベージュ×黒は大人っぽいヘルシーさ。
部分的にでも黒があるとぼんやり見えず体型も
顔の印象も引き締めてくれる。**B.**オールシーズ
ン着られる通勤スタイル。黒の分量を多くする
だけで**A**のコーデより印象的かつフォーマルに。

C

D

C.アウターをライトベージュにすると、寒い日のオールブラックコーデだって顔映りが良く、可愛らしい方向にシフトできる。D.着ると強いイメージになるシアー素材の黒。ビスチェのベージュの色合いがモードっぽい雰囲気を損ねることなくマイルドに。

with
GRAY

Black × basic colors

雨の日の空・石・電信柱・不安な気持ち・中間色・
ヒヨドリ・道路・ラッコ・ロシアンブルー

A

B

C

D

A.一見地味に見えるチャコールグレー
のジャケットセットアップ。明るい色を
差すのもいいけれど黒の強さを利用す
ると都会的でオシャレ慣れたムードに。
B.デコルテの露出があるからダークカラ
ーで統一しても華やか。カーディガン
の下に着た黒インナーがさりげなくメリ
ハリを出してくれる。**C.**グレーのワント
ーンコーデ。黒のバッグは金具が目立
つものだといいアクセントに。**D.**夏のス
ポーティースタイルだってグレー×黒は
素敵。一部に白があるだけで涼やか。

A

with
light
GRAY

Black x basic colors

曇りの日の空・コンクリートの壁・
ゾウ・ねずみ・大理石・鉄・
落ちこんでる日・ハッキリしない物事

A.存在感のある黒スニーカーが主役。センター
プレスかつなじませカラーのグレーパンツで大
人っぽくキレイめなスタイリングに。**B.**黒のブル
ゾン×スウェットパンツのスポーティースタイ
ル。派手なスニーカーだって黒をリンクさせ
つつ、スウェットの親しみやすさがあればフィッ
ト。チェーンバッグが華やかさをアシスト。
C.D.どちらもグレー×白のやさしげな合わせに
黒小物で引き締めたコーディネート。黒の割
合次第で季節感や印象がさりげなく変わる見本。

B

C

D

A

with

WHITE

Black × basic colors

雪・お砂糖・雲・寝具・
白熊・かき氷・ムーンストーン・
パール・ミルク・クリアな気持ち

B

<u>C</u>

<u>D</u>

A.カットソー×スカートのワンツーコーデなのに印象的なのは、黒と白の反対色を半々で合わせているから。他の色を取り入れなくとも十分に素敵。**B.**秋冬にありがちな黒ニット×黒パンツ。白のカットソーをインして襟元と裾からチラ見せするだけで奥行きが出る。**C.**白のワントーンに靴だけ黒。この黒がいい締め役になって、サロペットも大人可愛く着こなせる。**D.**ごくシンプルな白T×白パンツだってきちんとしたレザーの黒小物で揃えればコンサバに。

with

DENIM

Black x basic colors

空・プール・海・爽快感・アクアマリン・
ターコイズ・ブルーハワイ・ネモフィラ

A

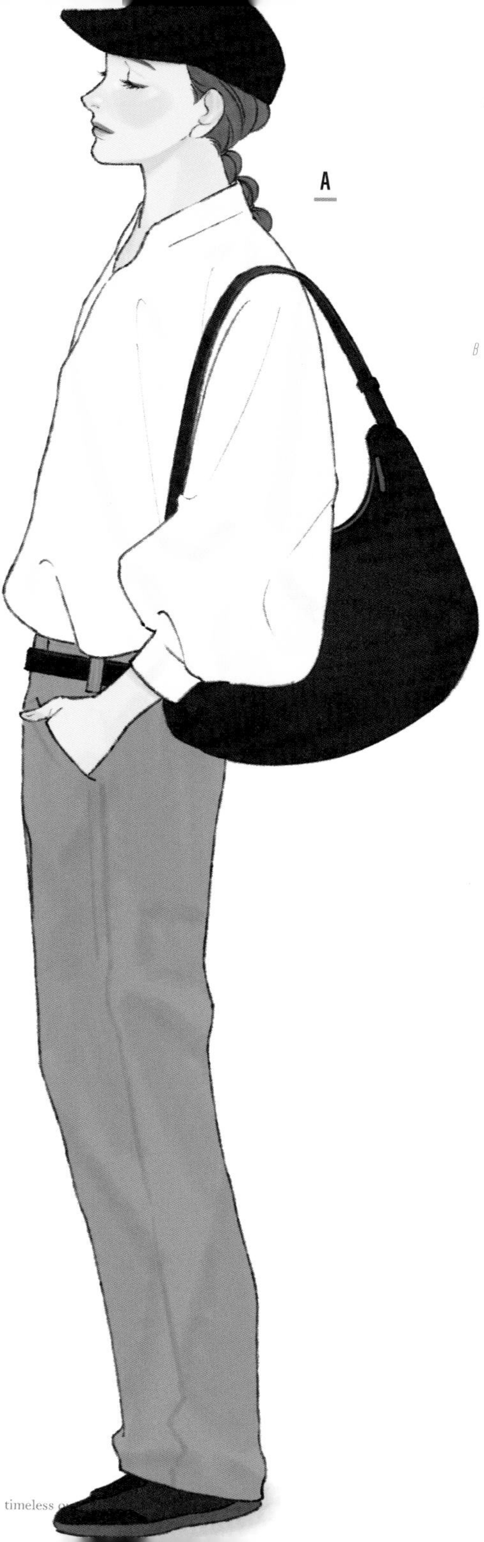

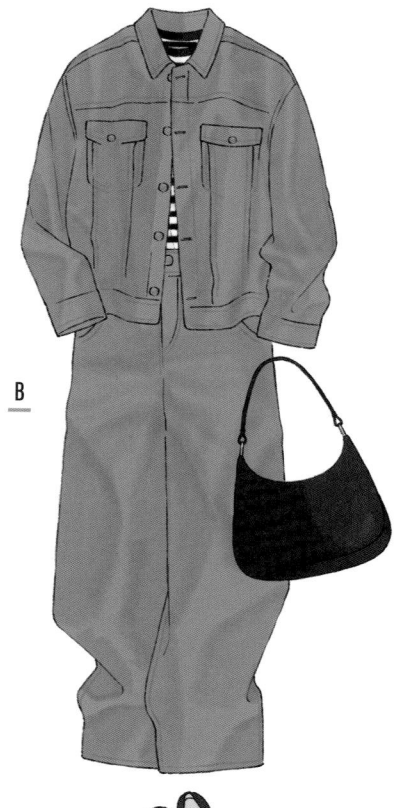

B

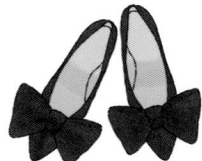

C

D

A.白ブラウス×デニムの超王道な組み
合わせ。スポーティーな黒小物でハン
サムなスタイルに。**B.**着こなしレベルが
高そうなデニムonデニム。でも黒ボー
ダーでポイントを作り小物も黒で整え
一体感を持たせればキレイにまとまる。
パンプスを合わせた違和感がオシャレ。
C.カジュアルに仕上げたくなるウエスタ
ンスタイルも黒とデニムをベースに作
ればこんなにスマート。**D.**中に着たター
トルとソックスの色を統一するだけで
黒×デニムの定番の組み合わせが新鮮。

with

dark
DENIM

Black x basic colors

夜空・藍・茄子・知性・上品さ・サファイア・
ブラックダイヤモンド・黒蝶貝

A

B

C

D

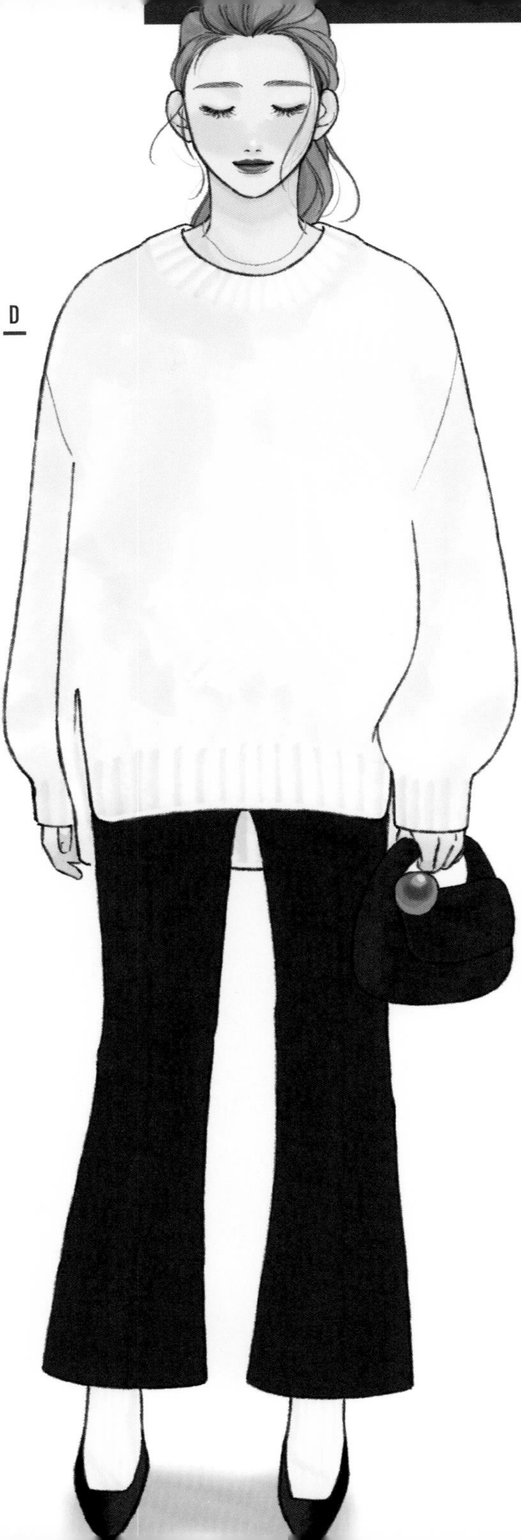

A.モノトーンコーデ。ラフなスタイリングなの
に洗練されるのは肩掛けしたカーディガンの立
体感とカチッとした黒小物から。B.黒ニット×
グレーワイドデニムのシンプルな組み合わせ。
パンプスを履いて足の甲を見せたり、髪をむす
んで首を見せるなどの些細な肌露出でスッキリ
と。C.黒×リジッドデニムのシックなトラッド
スタイル。水色をはさんでグラデーションにす
るとなじみが良い。D.シンプルなワンツーはフ
ィット&フレアのシルエットでオシャレを演出。

with

GREEN

Black × basic colors

自然・植物・ミリタリー・抹茶・野菜・
信号・癒し・エメラルド・翡翠・鶯

A

B

C

D

A.MA-1の雰囲気と黒は相思相愛。スカートを合わせてもバランスの取れた甘辛ファッションに。B.オールコットンのM-51はMA-1よりマイルドなイメージで着られるから、オール黒コーデに羽織ってもどこかやさしげ。C.ミリタリー感の強いフィールドパンツには真反対なテイストのポロシャツとカチューシャでクラス感を出すのも楽しい。メンズライクな配色だけど黒はキレイめに仕立てる効果も。D.オリーブのワントーン。黒の分量を少なくすれば涼しげ。

with PLAID

Black x basic colors

タータンチェック・グレンチェック・
ギンガムチェック・バッファローチェック・
アーガイルチェック・ピンチェック

A

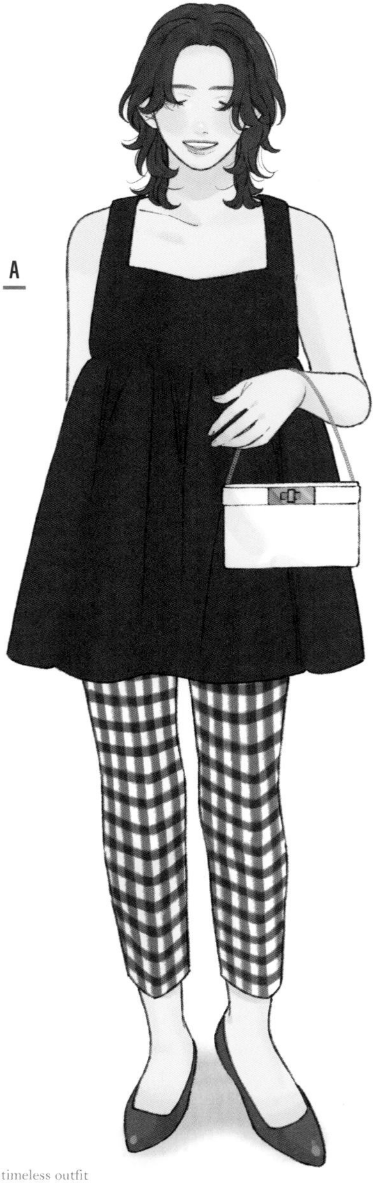

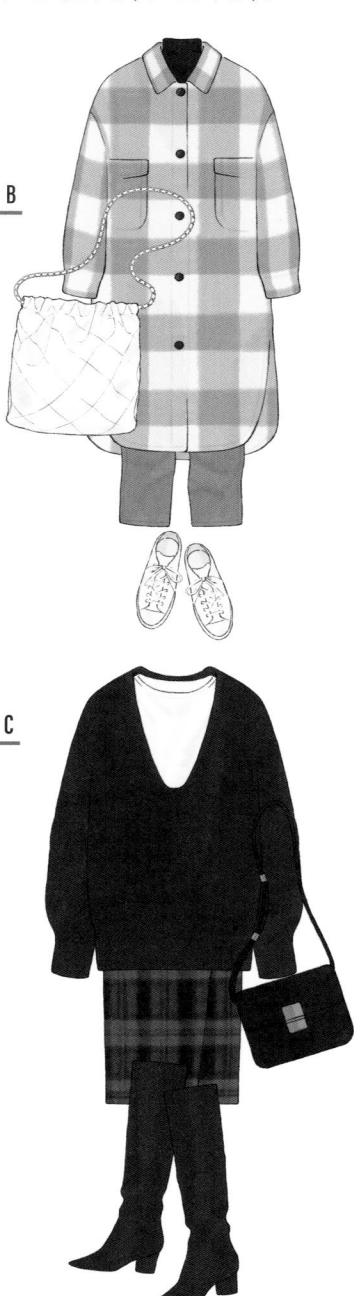

B

C

A. 甘い黒トップスにギンガムチェックを合わせるだけでたちまちクラシカルな甘コーデに。パリシックに整えて。**B.** ひとさじの黒があればパステルカラーのチェックアウターも派手さが落ち着き、ぼんやりした顔映りも回避できる。**C.** 穿くだけで秋冬らしさが高まるダークカラーのチェックスカート。白を挟むと黒×チェックが重くならず爽やかに。**D.** 黒×赤が使われたチェックマフラーを主役に、服も黒×赤に。色をリンクさせるとコーディネートに統一感が出る。

D

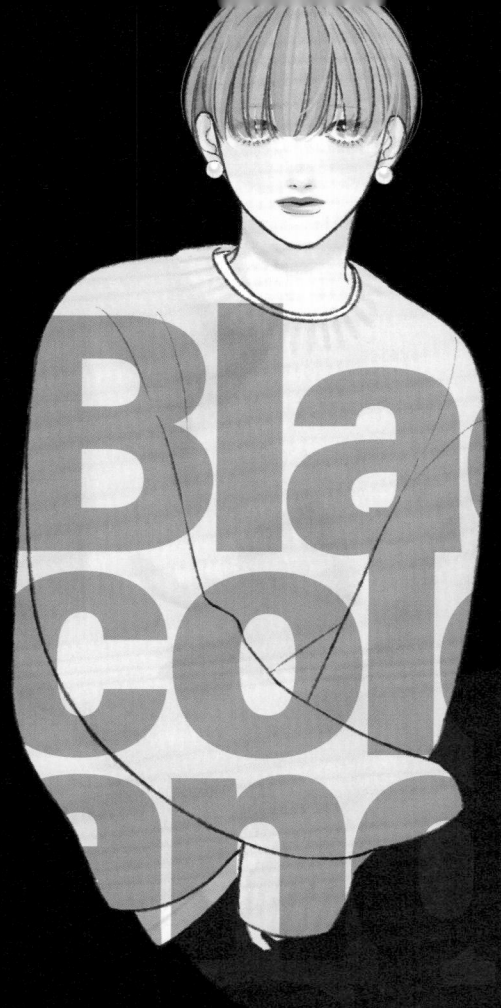

Black

x

color

and

pattern

Stylishly
Coordinate
Black

PART 3

カラーアイテムにももちろん合わせやすい黒だけど、
主役の色によってはコントラストが強く
なじませるのが難しいときもありますよね。
そんなときどうしたらいいかまで考えた
色別コーディネートを描きました。
主役の色×黒、だけで仕上げてもいいけれど
もう1色、つなぎの色があると
格段に素敵になることもあるので
ぜひお試しを。

黒×色と柄
TINDA STIMELESSOUTFIT

BLACK+RED
Bicolor Outfit

情熱的で、強く熱い赤。黒と合わせてロックっぽいか、パリシックか

A.赤のポインテッドトゥパンプスは存在感十分。黒を色っぽく、リッチなムードに仕立ててくれます。**B.**ロゴ入り赤Tシャツ×黒ボトムスでロックテイストに。**C.**黒ライダースと合わせればバイカーファッション風。黒Pコートとならパリシックに。**D.**ニット一枚で華やかだから小物は最小限に、黒統一でOK。**E.**黒を女性的に仕上げてくれるハートの小物。

BLACK+BLUE
Bicolor Outfit

冷静、誠実、自由な青。黒に透明感が生まれ、知的なイメージ

A.一見カジュアルなダンガリーシャツも黒と合わせればキレイめアイテムに変身。**B.**清涼感のある白×ブルーのボーダー。単品だと少しぼんやりした印象も黒で引き締めるといい塩梅。**C.**重厚な黒アイテムばかりだけどデニムの色で軽やかに。**D.**リング、ネイルなど小さい箇所に青を入れるだけでも黒が夏らしい。**E.F.**ロイヤルブルーの鮮やかさを黒が後押し。

BLACK+YELLOW
Bicolor Outfit

A

B

C

D

E

黒と合わせると警戒色。マイルドを心がけ幸福感のある雰囲気に

A.C.人によっては肌となじみすぎてしまうクリーム色。黒のボトムスや小物でメリハリを出せば変わります。
B.D.マスタードカラー×黒は、マスタードの面積を少なめにして警戒色っぽさを軽減。可能なら黒の面積も
少なく、繋ぎの色を投入して調整するといいバランスに。**E.**春夏向きのコットンスカートならビビッドなイ
エロー×黒がヘルシーに転換。

BLACK+GREEN
Bicolor Outfit

安心感や安定の緑。黒が重くならず、落ち着いた色合いに

A.タータンチェック×黒は組み合わせるだけでクラシカルなスタイリングに。**B.**ビビッドなグリーンがある
と黒も自然界の色に一変し透明感が。絢爛豪華な黒小物がむしろちょうどいいポイントに。**C.F.G.**小物であ
れば意外と合わせる服、色を選ばないから不思議。**D.E.**トーンの違いで黒との組み合わせもカジュアルにな
ったり、トラッドになったり。

BLACK+PINK
Bicolor Outfit

可愛らしさ、やさしさのピンク。黒があるとほんのりミステリアス

A.ピンクと黒の間に白をはさむといいリズム感。黒だけで締めるよりも奥行きが出ます。**B.C.**ショッキングピンクと黒どちらも強い色だから、橋渡し役となるモスグレーを間にはさむとおさまりが良い。デニムをはさんでも◎。**D.**きちんと見えるセンタープレスパンツだから、上にどんなトップスが来ても立体感が出る。カットソーでもシャツでもニットでも。**E.F.**小物のピンクは服で着るピンクよりも印象的。黒コーデを甘く見せてくれるはず。

BLACK+VIOLET
Bicolor Outfit

神秘さや高貴の紫。一見派手でも、黒と合わさると上品

A.C.パープルはカラーパンツかニットなら派手な色が不得意な人でも取り入れやすい。ボトムスなら顔とのバランスを取らなくていいし、カーディガンならニットのやわらかさが味方に。黒と合わせればさらに落ち着いたムード。**B.**薄紫はグレーと同じ感覚で使えるので着回し力抜群。ぼんやり見えないようインナーに黒があると◎。**D.**夏のパープルは黒を控えめに。**E.F.**ベーシックカラーのコーデにポイント使いするとオシャレ慣れした印象。

BLACK+LEOPARD

存在感があり気持ちも強くなれそうな柄を、黒で品良く

A. 服で纏うなら取り入れやすいのはとろみスカート。歩くたびに揺れるエレガントさと生地の軽やかさで柄の強さが軽減されます。黒と2色で仕上げても良いけれど、部分的に白があるとカジュアル感が出て親しみやすい。
B.C.D.E. 小物で使うのが一番取り入れやすい。柄自体は派手でも色はベージュ、ブラウン、黒とベーシック。意外なほどにどんな服にもマッチ。ときには主役に、ときにはコーディネート全体を引き締める脇役にと汎用性も高め。

BLACK+PATTERN
Bicolor Outfit

A B C D E F

小花やドットなど甘く細かい柄は、黒があると大人可愛い

A.可愛らしいイメージの小花柄も黒ベースだとクールに着られる。華やかさもあるから小物は控えめでもコーディネートがサマになる。**B.**甘くキュートなブラウスは黒のボトムスがあるとドレッシーに。もしくは小物で黒を合わせて品格を出すのも素敵。**C.**小さな黒いドットのモノトーンシャツはジェンダーレスに着られるアイテム。ボトムス次第でカジュアルにも、ドレッシーにも。**D.E.F.**黒ベースのドット柄は落ち着いた可愛らしさ♡

Black

for

dressy

Stylishly
Coordinate
Black

PART

友達の誕生日パーティーや結婚式、

ちょっとしたセレモニーに出席するときの

ドレスアップにも黒は強い味方。

印象的な小物をどこかに使うだけで

黒は華やかに見違えます。

小物使いにこだわった

コーディネートを

アイテム別で描きました。

4

Onepiece

Wearing black for more dressy

デザイン性の高い小物を投入すればシンプルなワンピも印象的に

A

B

C

D

A.春夏のドレスアップは軽装に見せない＆暑苦しく見せない努力が大事。明るい色かつ存在感のある小物でまとめるといい感じ。B.地味に見えがちなシャツワンピはパールやキラキラ小物でパリシックに盛り上げて。C.キャミワンピは1枚でもレイヤードしても着られるからオールシーズン着回せる。D.E.シンプルなワンピースはフォーマルさを生かしてきちんと見せるのも良し。大ぶりのアクセサリーで印象的かつモードっぽくシフトするのも良し。F.カチッとした小物で整えればTPOを問わないコンサバスタイル。スカーフがあるとパッと華やぐ。

O n e p i e c e

E

F

キレイめなバッグや
小物とならキャリア感
のある大人な装い

Jumpsuits

Wearing black for more dressy

辛口テイストやマニッシュなムードが好きな
人はワンピースよりもこちらで個性的に。

B

A

C

A.1枚で存在感があるから
シンプルなカットソーをイ
ンするだけでもそれなり。
B.C.1枚で完成するジャン
プスーツはコーディネート
が苦手でもサマになる頼れ
るアイテム。やや重く見え
るからすっきり見える靴が
あると◎。

オールインワンタイプ
なら小物次第で
フォーマルな場もOK

キャミorベアトップ
タイプはドレッシーさが
際立ちイベントごとに◎

Jumpsuits

D

E

F

D.E. シャツでカッコ良く見せてもいいし、ボウタイブラウスや柄ブラウスでもっと華やかに盛り上げても素敵。**F.** 1枚で着て肌露出を楽しむのもいさぎよくてカッコいい。肌寒い季節ならジャケットやカーディガンを肩掛けしても。

67

上下単品で使える着回し力、体温調整の
しやすさ、アレンジのしやすさが便利で楽しい!

A

B

季節感のある小物でシーズンを演出するとオシャレさアップ

A.D.甘いデザインのセットアップはワン
ピース感覚で着られるからコーディネー
トが楽。トップスの甘さがあるからスニ
ーカーやスポサンを合わせても華やか
さを損なわず素敵。**B.**ジャケットのセッ
トアップは普通のパンツやスカートの
セットでスーツスタイルを楽しむのも良
いけれど、ミニ丈のボトムスにするとそ
れだけでドレス感がアップ。**C.**秋冬な
らカーディガンとワンピのニットアップ
も可愛くてやさしげ。ブローチをつけた
りキャスケットをかぶったりとレトロな
装いも楽しい。**E.F.**ベストのセットアッ
プは衣裳っぽさがありオシャレ度高め。

C

中に着る服次第で
オールシーズン使える
便利さも魅力

E

D

F

Setup

Shirt&Blouse

Wearing black for more dressy

シンプルだしフォーマルに見えがちだけど、その雰囲気を利用すれば華やかに変身。

A

B

C

プレーンなシャツは女性的なアイテムを合わせると色っぽく見違える

A.B.C. 1枚で見るとパッと見は地味。でも黒が持つ落ち着きとシャツが持つ堅実さで、どんなボトムスや小物を合わせても上品さはキープ。ゴールド金具のベルトひとつ合わせるだけでも高級感が漂う。過剰なほどアクセサリーをつけてもすべて黒が受け止めてくれます。

可愛らしいブラウスは黒なだけでフレンチシックな装いに

E

D

F

S h i r t & B l o u s e

D.E.F. フリル、パール、ボウタイなど甘い要素が入っていると途端にドレス感がアップ。**D** のようにカジュアルなワークスカートやワークブーツを合わせてもオシャレした感が出るから、突然の誘いにもすぐ対応できちゃいます。タイトなボトムスやヒールを合わせると色っぽい方向に。

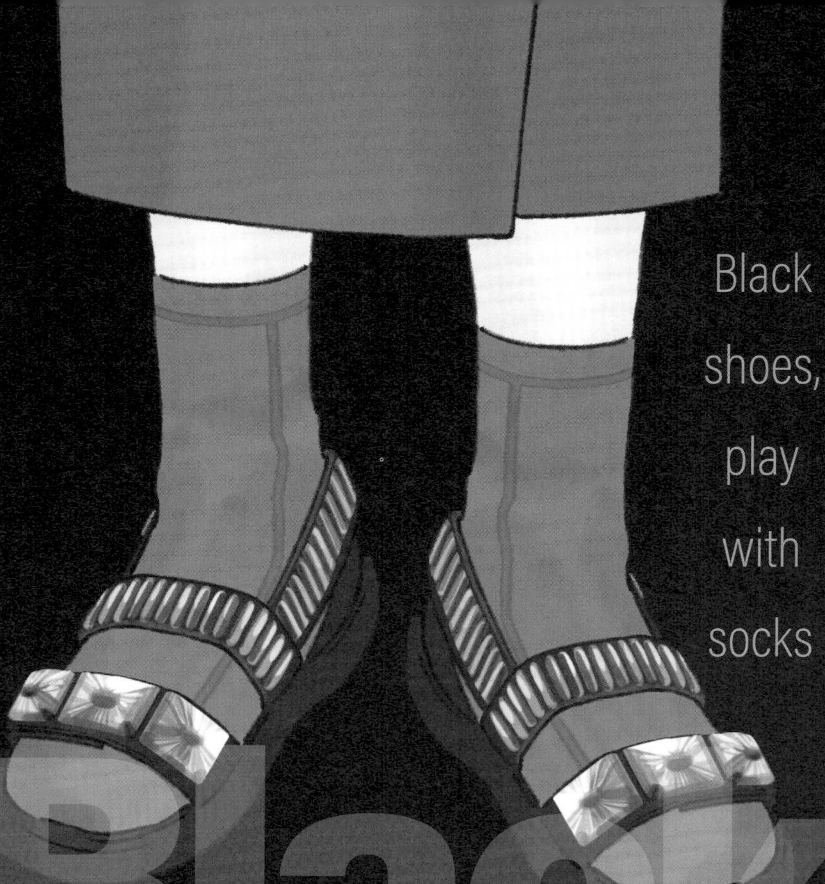

Black

shoes,

play

with

socks

Black
shoes,
socks

Stylishly
Coordinate
Black

PART 5

ここまでで既に何度も黒い靴を登場させていますが、黒い靴はそれほどに汎用性が高く便利。
しかも、靴下やタイツ次第でもっといろんな表情を見せてくれますよ。
服をコーディネートするのと同じ感覚で、足もとのコーディネートもしてみると
オシャレの幅がグンと広がって、楽しみも増えます。
靴の種類別で、靴下との可愛い組み合わせを考えました。

黒い靴を、靴下で遊ぶ

Flat shoes
with Socks ideas

SHOES

A

SOCKS

クラシカルな可愛さが漂う黒のフラットシューズ。無難に黒タイツを合わせるのも素敵だけれど、
靴下を合わせるとファッションになじむ足元に変身。コーディネートに動きが出ます。

B

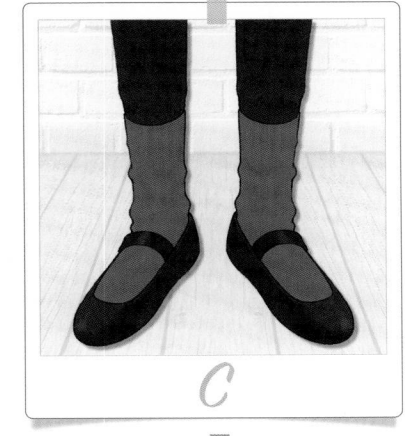

C

D

Flat shoes

A.E.F.シンプルなパンプスはライン入りでトラッドに振ったり、赤や青で辛口に振ったり。**B.**リボン×ドット。靴と靴下を洋服感覚でコーディネート。**C.D.**落ち着いた色ならタイツとのレイヤードや攻めたデザインを選んでも楽しい。

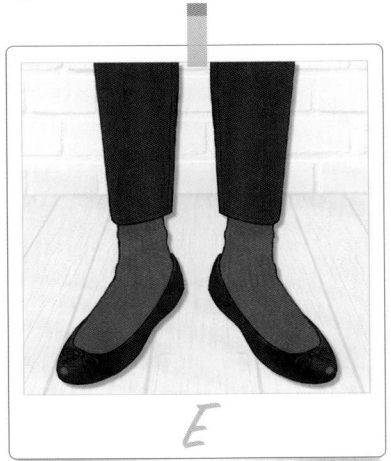

E

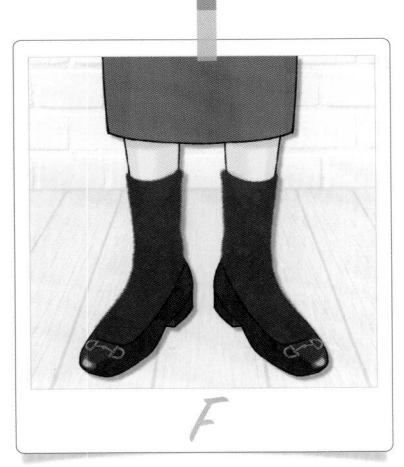

F

High heels
with Socks ideas

A

フラットシューズよりもコンサバ感と存在感があるヒールパンプスは、
靴下を合わせると親しみやすくキュートに。
季節を問わない靴こそ、靴下のプラスワンで表情を変えて。

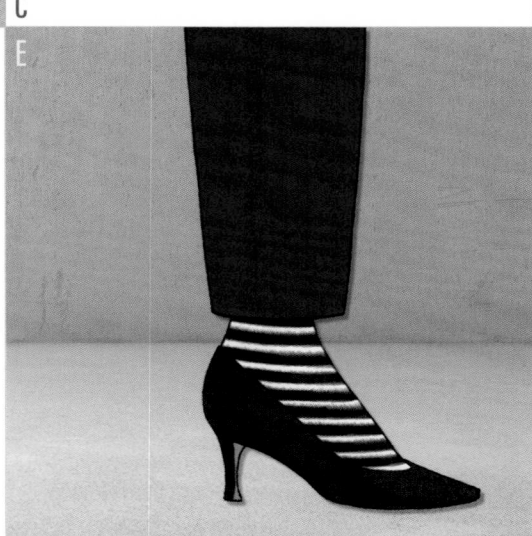

High heels

A.B.白は素材次第で靴の雰囲気が様
変わり。C.靴とパンツの中間色を選
ぶと靴下がなじみやすく垢抜けた足
元。D.ビジューパンプスにはラメ素
材の靴下を合わせてとことん華やか
に。E.F.派手な色柄も黒パンプスの
端正さがなじませてくれる。

Sandals

with **Socks** ideas

SHOES

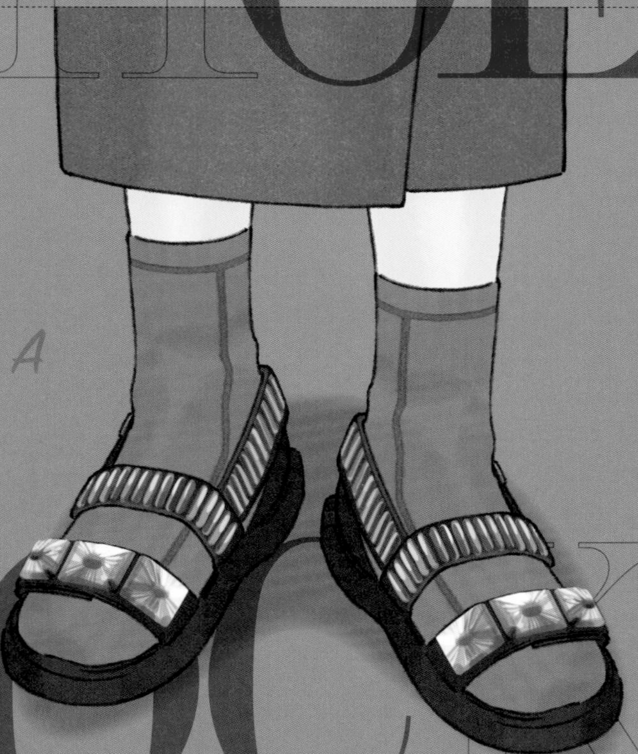

A

SOCKS

「サンダル＝夏に裸足で履くもの」と決めつけてしまうのはもったいない！
靴下があれば肌寒い春も秋も楽しめちゃいます。
むしろ夏も、靴と靴下を主役にしたって楽しい♪

B

C

D

Sandals

A.F.服の色とリンクしていれば変化球な柄でもなじむ。**B.**ヌーディーなサンダルにはシアーな靴下で色っぽく。**C.D.**スリッポンは厚手の靴下があれば冬も活躍。**E.**トングサンダルの履きこなしの幅が広がるフットカバー。

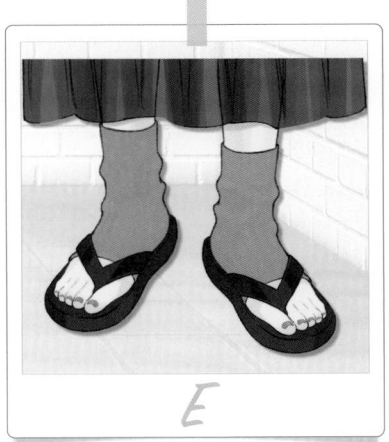

E

F

Sneakers
with **Socks** ideas

A

靴下オシャレがむずかしいと感じる人は、靴下必須のスニーカーで慣れるのがおすすめ。
まずは靴と同系色の靴下で。自分に似合う素材を探し、慣れたら白やカラーに挑戦してみて。

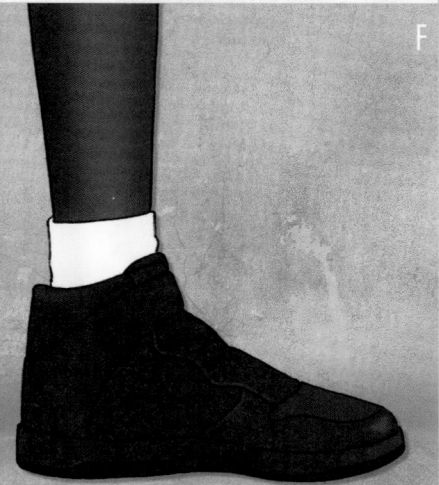

B C
D E

F

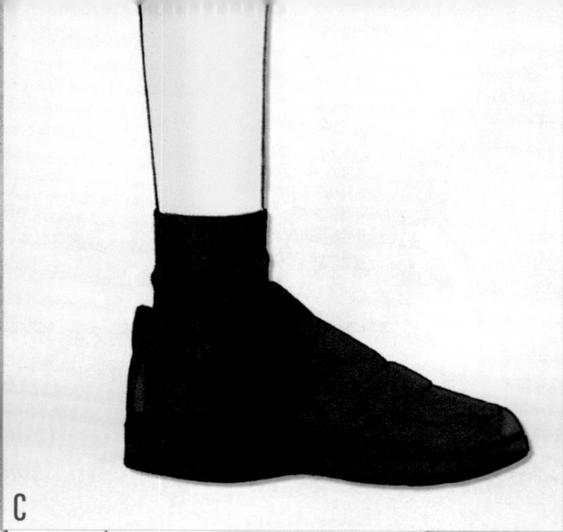

Sneakers

A.C.F.たとえスニーカーでも真っ黒は靴下次第で雰囲気チェンジが可能。B.黒×白でまとめ。靴下を少しだけクシュっとさせたワンポイントが可愛らしさの素。D.スニーカーのラインを靴下でもリンク。E.靴の色を拾った靴下を選ぶのが粋。

Loafers

with **Socks** ideas

SHOES

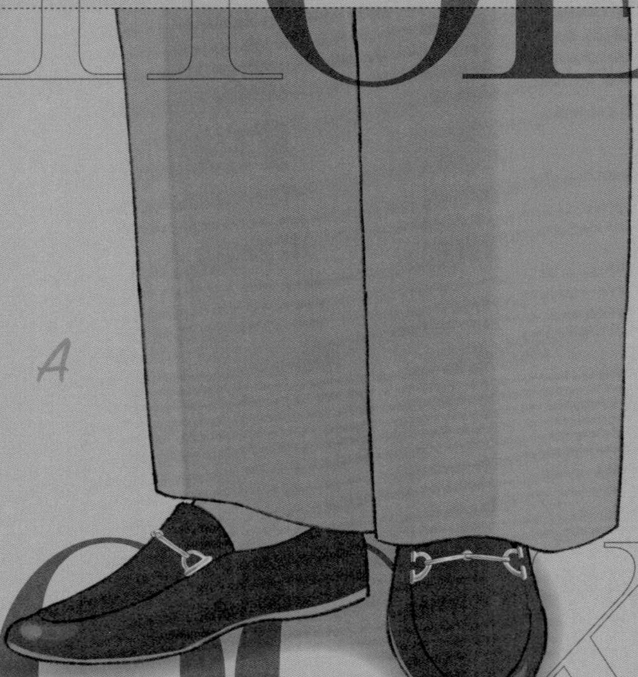

A

SOCKS

靴自体の上品さと存在感がある分、はっきりした色やシアー素材のオシャレ靴下も挑戦
しやすいはず。フォーマル感が必要なときは靴に合わせ黒で統一するがクラシックで素敵です。

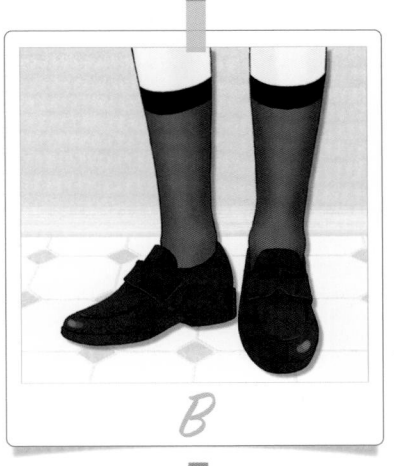

B

C

D

Loafers

A.C.F.ゴールド金具があると明る
い色の靴下もなじみやすい。足元
が華やかでややカジュアルなムー
ドに。**B.**モードっぽく攻めた印象
になるシアーソックス。**D.E.**誰が、
どんなコーディネートで合わせて
も違和感のない黒on黒。

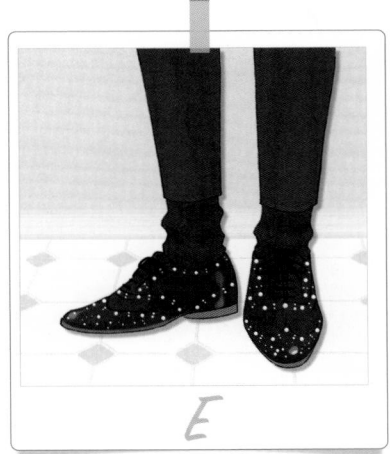

E

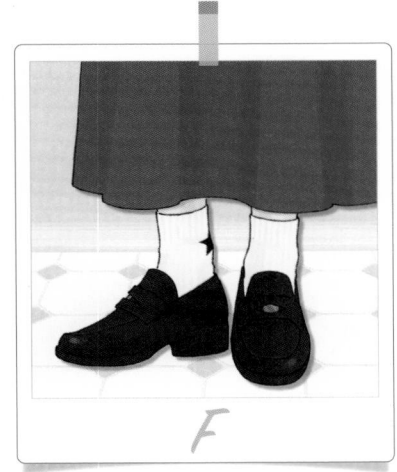

F

Boots
with **Socks** ideas

A

ブーツの季節は暗い色の服が増える分、タイツや靴下に利かせ色or素材を入れるとグッと
オシャレ。もし黒を合わせるとしても、素材や厚みにこだわってみると一味違います。

Linda's timeless outfit

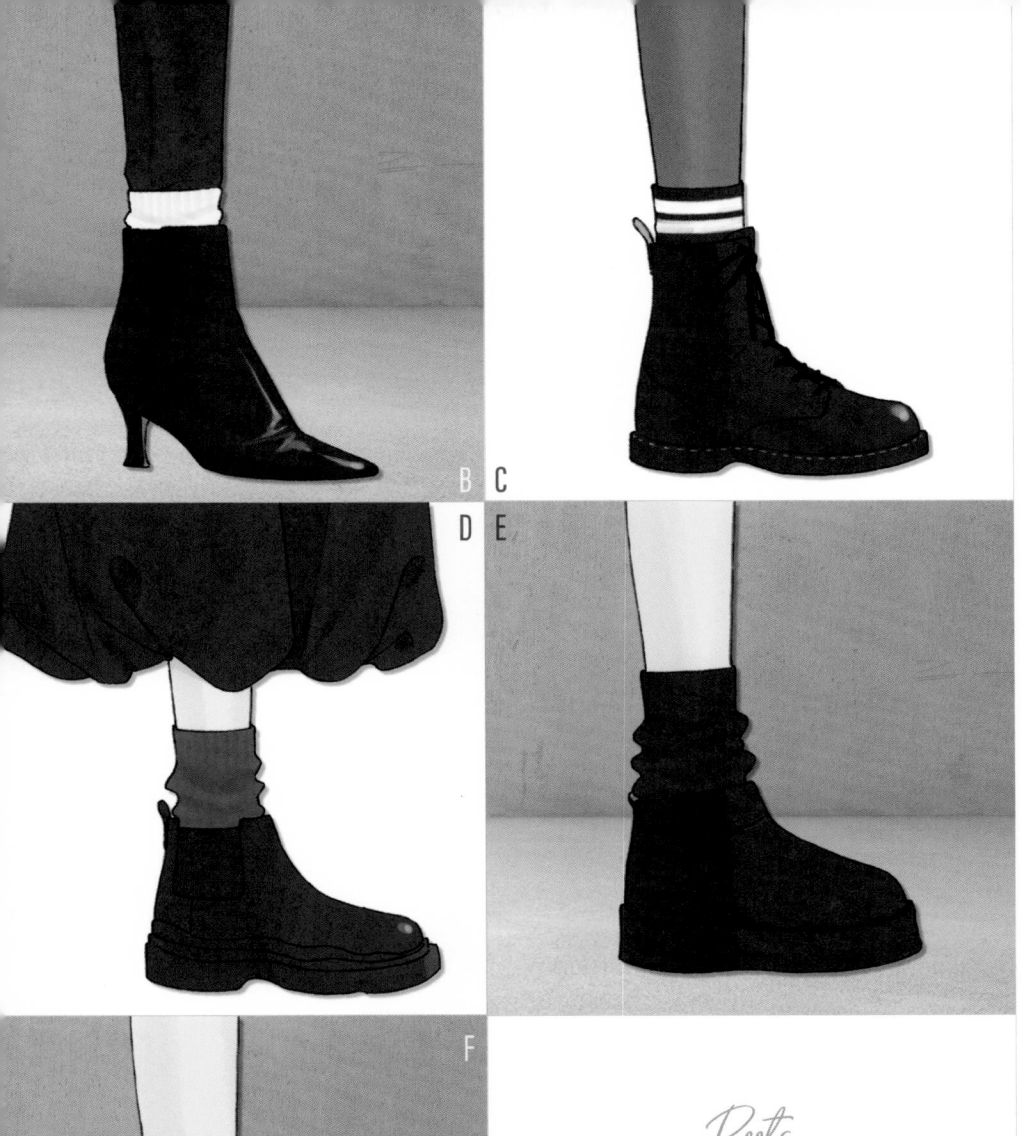

Boots

A.合わせやすい反面垢抜けが難しいブロックヒールのショートブーツは靴下の色でパンチを加えて。**B.F.**チラッと見せる靴下でブーツがカジュアルに。**C.D.E.**ブーツのボリュームに合う厚みとくしゅくしゅのルーズ感があるとバランスが取れる。

Make-up
and
accessories
for
black
top
day

Make-
upand
dacce

Stylishly
Coordinate
Black

6

いろんな表情を
見せてくれる黒は
ときには味気なく地味。
特に黒のトップスを着る日は
顔色が悪く見えないよう
大ぶりのアクセをつけたり
ポイントメイクを施すと
黒が華やかになります。
定番トップス別で
メイクとアクセの
組み合わせを考えました。

黒いトップスの日の
メイクとアクセ

BLACK

Make-up and accessories for black top day.

ただ着ただけの普段着に見えないよう華やかさを意識。一枚で着る季節は
大袈裟にオシャレを盛ってちょうどいい！

"オシャレのために着てる服"に見せるヘルシーメイクに

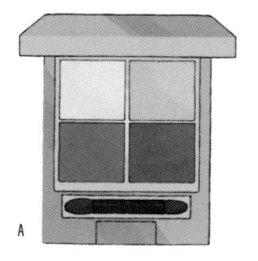

A

B

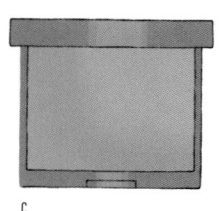

C

A.B.オレンジ〜キャメル系の
カラーをポイントに使うカジ
ュアルさはTシャツとベストマ
ッチ。**C.**コーラル系カラーの
チークはオレンジ系メイクと
相思相愛。

T-Shirt
Make-up

ヘアアクセを加えるだけでTシャツコーデに遊びが生まれる

D.E.華奢なタイプは複数つけたり、大ぶりで印象的なデザインを潔くつけたり。**F.**カチューシャは素材で季節感が演出できるので、季節先取りにもおすすめ。

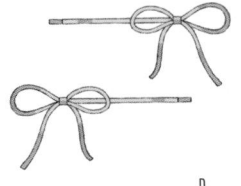

D

E

F

Make-up and accessories for black top day.

BLACK

顔の輪郭や肌の色がはっきりと浮き出るから、それをカバーできる
メイクとアクセがあると、安心して着られそうです。

**意識したい透明感。
それを助けてくれるのはピンク系。**

A.B.C.顔色がくすんで見えないよう自然な血色を与え
られるピンク〜赤味系コスメを。パール入りチークや
ラメ入りアイシャドウをポイントで使い、肌にツヤと
透明感を与えると黒い服がより素敵に見える。

HighNeck
Make-up

タテラインを強調できるもので顔をスッキリ見せて

D

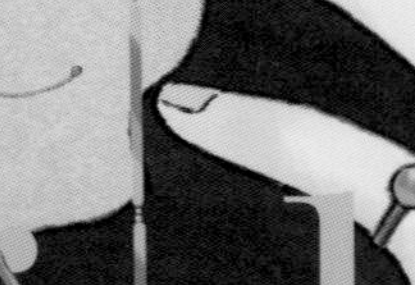

E

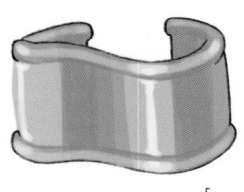

F

D.E.人物が着用しているようなタテ長ピアスの他、こんなネックレスもあり。F.印象的なリングやこんなバングルで顔から視線を分散させるのもひとつの手。

Make-up and accessories for black topday.

BLACK

どんな人が着ても迫力が出る黒ジャケット。ならばその迫力を
利用してクールな装いを楽しむのはいかがでしょうか♡

A

C

B

赤リップを主役に
さらりとしたまぶたで抜け感を出す

A.B.ジャケットをオシャレとして着るならボルドーに近い赤リップが
カッコいい。フォーマル服として着るならシアーな赤系リップにす
ればオシャレさはキープできつつ、どんな場にもなじむはず。**C.**そ
の分アイシャドウはライトカラーのみで控えめに。

Jacket
Make-up

地金メインのアクセサリーで
クールさを後押し

D.E.太い地金のチョーカーや
サークルピアスはジャケット
からフォーマルさを取り除い
てくれる。**F.**天然石を使った
スクエア型のリングでユニセ
ックスなイメージにシフト。

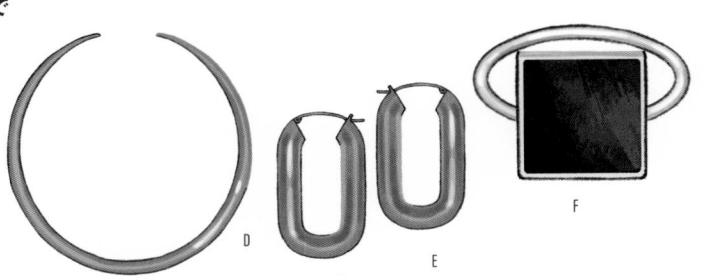

D

E

F

Black
accessories
that
are
nice
to
have

Black
accessorie

Stylishly
Coordinate
Black

PART 7

コーディネートを仕上げる小物。
小さい存在ながら、
ここでも黒の力が生きるんです。
バッグ、靴、ヘッドアクセ、
手首まわりのアクセ、ストール類を紹介しますが、
添えているコーディネートイラストに
どの小物を合わせても
フィットすることに気づいてもらえたら
黒小物がもっと好きになるはず。

あってうれしい
黒小物

Bag

黒い鞄

'Outfit with Bag'

エレガントなバッグでも
カジュアルなバッグでも、
とにかく合わせやすい黒。
ときには主役、ときには
脇役に。ニュアンスカラ
ーで仕上げたコーディネ
ートの引き締め役として
も活躍してくれます。

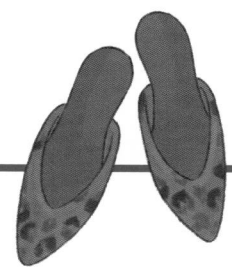

It doesn't matter what
you are wearing if you
have good shoes and
A GOOD BAG,
you'll look right.

クワイエットラグジュアリーを感じる綺麗なものが長く愛せる

A.E.G.プレーンなデザインはどんな場面でも使える安心アイテム。スカーフを巻いたりキーホルダーをつけたりと、コーディネートに合わせてアレンジできる楽しみも。**B.C.H.**ゴールド金具のついたものはラグジュアリー感が。持つだけでリッチ感が出て一気に華やか。**D.**大判トートは黒で持っておくとサブバッグとしても使い回しがきく。**F.**バックパックは黒ならスポーティー感が控えめで、甘めファッションが好きな人にも、通勤シーンにも◎。

101

Shoes

黒い靴

'Outfit with Shoes'

靴は黒なだけでフォーマル
感がアップ。トラッドやパ
リシックなどクラシカルな
装いにシフトしやすく、ご
く普通のコーディネートに
も深みが出るメリットが。
だから、色に悩んだらぜひ
黒を選択肢に。

SHOES
speak louder
than words.

個性的なデザインにこだわれば脱フォーマル

A.E.上品さと可愛らしさを両立できるメリージェーンとバレエシューズ。黒はクラシカルさもあり、味わいのある
コーディネートに。**B.D.**ありふれたパンプスやローファーだってコインデザインがあるだけでスパイスアップ。
C.G.シンプルなブーツもタイツやソックスの合わせ方、パンツの裾をインするなど遊び方は色々。**F.**スニーカー
もオールブラックだときちんとした場所へ行くにも頼れる。**H.**トングのサンダルでもレザーなら洗練される。

103

Head

Accessories

黒のヘッドアクセ

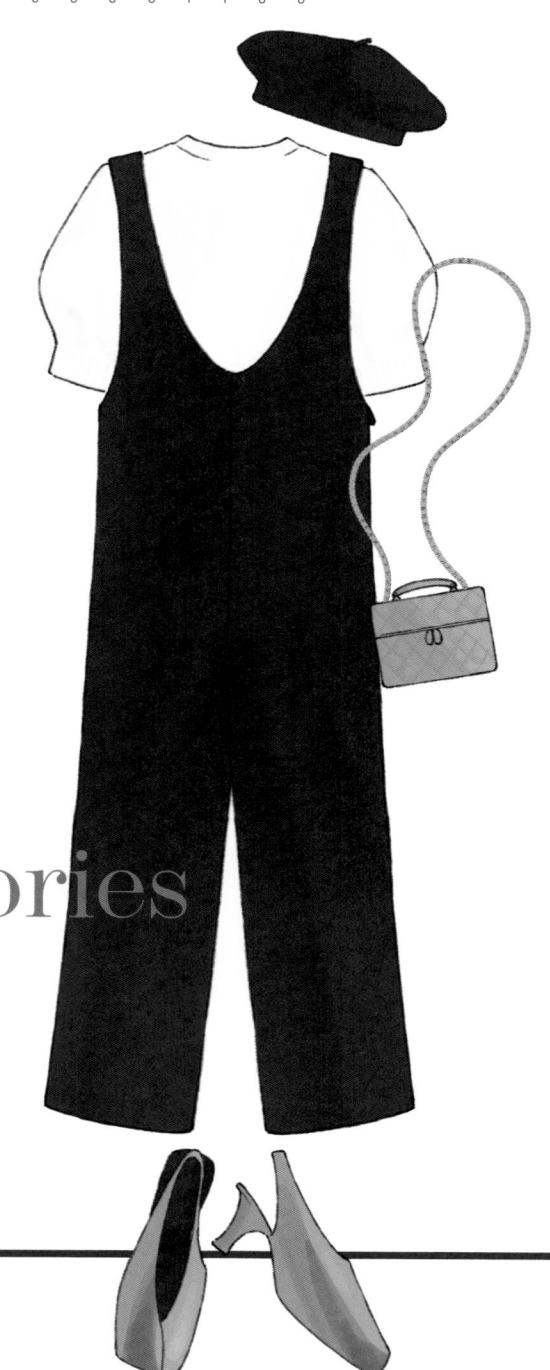

' Outfit with Head accessories '

オシャレ上級者アイテム
と思われがちな帽子やカ
チューシャ。でもひとつ
加えるだけでオシャレ度
が格段にアップするから、
コーディネートが苦手な
人ほど、控えめに見える
黒からぜひ挑戦を。

A

B

Find HAT fits like a good friend.

C

D

E

F

スマートな黒から選べば、どんな顔立ち、コーディネートにも溶け合う

A.B.スポーティーなスタイルにフィットするのはもちろんのこと、スマートカジュアルや甘口テイストのハズしとしても良し。**C.D.**甘くクラシックな装いになるベレー帽とカチューシャ。ベーシックでありながらキャッチーなアイテムなので黒が何かと合わせやすい。**E.**アウトドアテイストなバケットハットも黒なら普段のコーディネートで攻略しやすく、モードっぽい雰囲気に。**F.**フェルトのワイドブリムハットはこれひとつで辛口なムード。

Wrist

Black Accessories

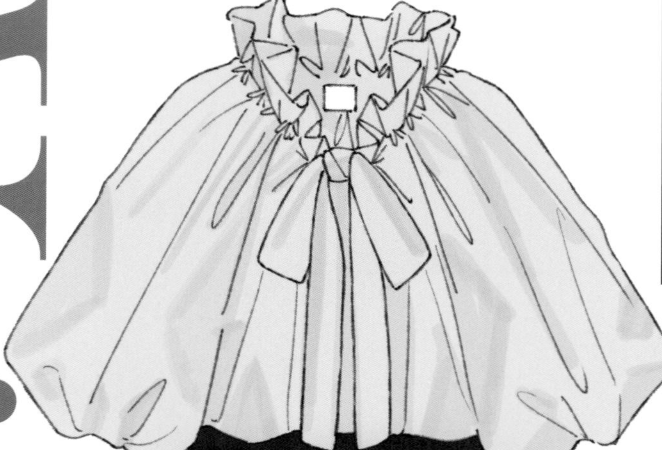

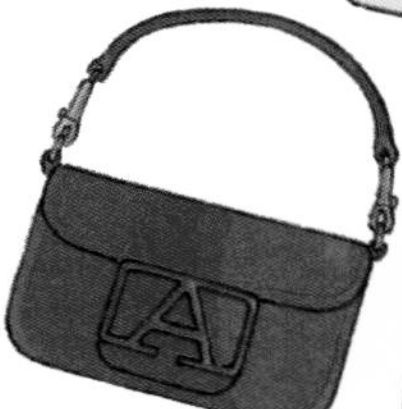

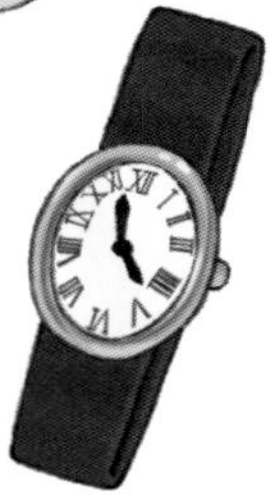

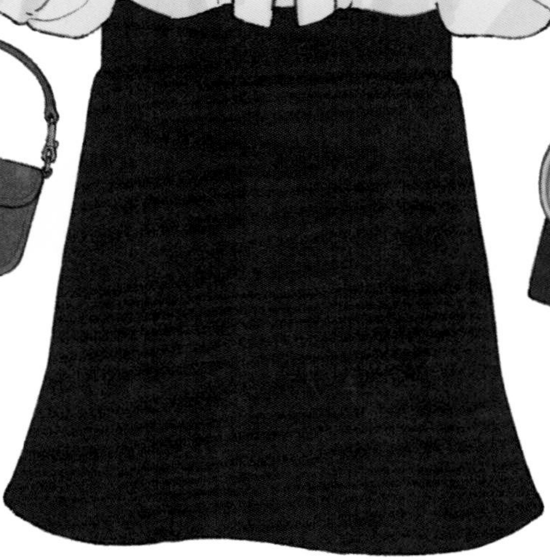

手首のアイテム

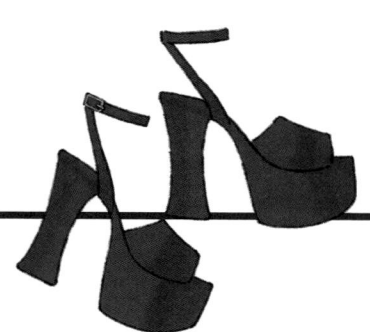

'Outfit with Wrist'

ブレスレットよりも印象的で、コーディネートのポイントになるのが時計やバングル。黒ベルトのものなら凛とした印象を与えてくれます。手首まわりにひとつあると雰囲気が変わる様を楽しんで。

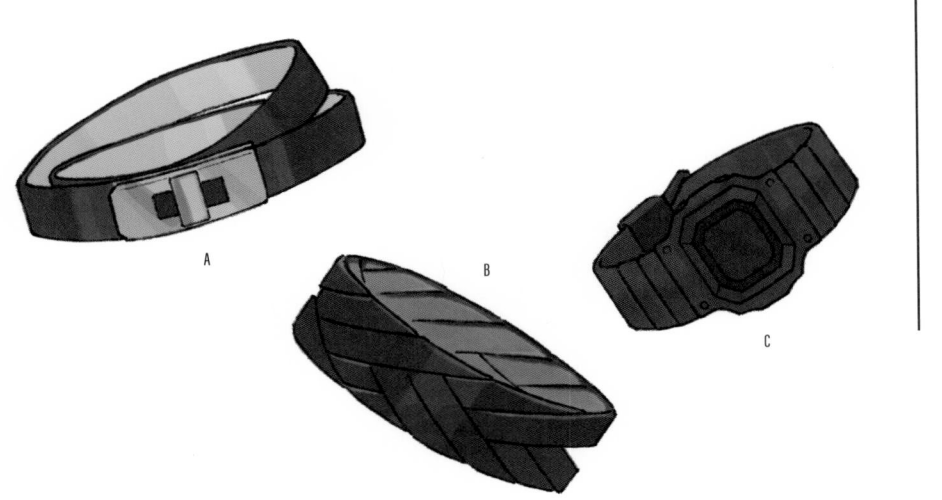

A WRIST is the bow for a pianist.

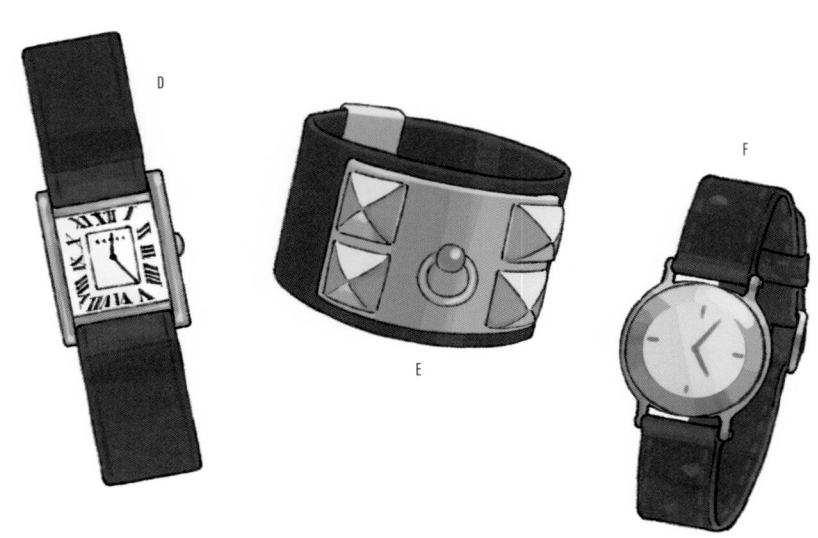

日常からドレスアップまでを支えてくれる、華やぐ黒ベルト

A.バングルでも腕時計でも、2連のベルトになるだけで輝く存在に。**B.C.**一見カジュアルなデザインでも奥深いブラックならモダンでスタイリッシュ。**D.F.**時代を超えて愛され続けるクラシックな時計はトレンドスタイルにだって品格を作ってくれる。ドレス感が欲しいとき、フォーマル感が欲しいときと、両極な要望に応えられる汎用性もまた魅力。**E.**存在感を放つ太バングルはごく普通のコーディネートもワンランク上に連れていってくれる。

Scarf

黒のストール

'Outfit with Scarf'

秋～春まで欠かせないス
トール類はコーディネー
トに立体感が出る魅力が。
防寒機能のほか、顔を華
やかに見せる効果もある
ので、自分の顔立ちやメ
イクに似合う素材と柄を
選ぶのが大事。

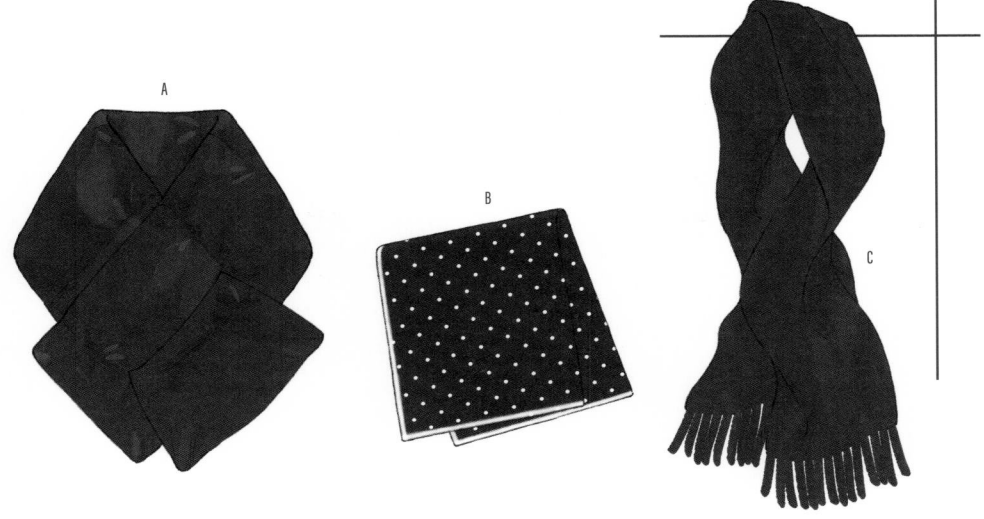

The joy of DRESSING is an art.

脱力感が欲しいとき、リッチ感が欲しいとき、どちらにも役立つアイテム

A.C.マフラーは肉厚のものを選ぶと小顔に見えるメリットが♡ ブローチやピンバッジをつけて雰囲気を変えても楽しい。**B.D.E.**柄スカーフは首に巻くのはもちろん、手首に巻く、バッグにつけるなど十分に満喫できる。"スカーフを巻くと老けて見える"の悩みもモノトーンなら解消。顔立ちが落ち着いてる人は細かい柄を。顔立ちが派手な人は大判の柄がバランス良し。**F.**黒ベースのハンサムなチェックはトラッドな装いにベストフィット。

109

TINDA'S TIMELESS OUTFIT3 Black for stylish coordination

from TINDA

最後まで読んでくださってありがとうございました。
この本で提案したコーディネートはあくまでも私からのアイデアです。
(2冊目と同じメッセージです)

オシャレに正解はないと思います。
好きな服を自分の満足のいく形で着ることがなによりのオシャレ。

だから、この本のコーディネートが正しいわけではないし、
ここに描いていないことは間違いだと思わないでください。

ただ、ここで見た黒の使い方で
いつもの黒い服を少しだけオシャレに着こなせた!　と幸せに思ってもらえたら
なにもかもが正解になれます♡

読んでくださった人それぞれが、黒を楽しめますように。
そして、オシャレすることで「明日がちょっと、楽しく」なりますように。

epilogue

TINDA'S TIMELESS OUTFIT 3
一生、黒をオシャレに着る

2023年12月8日 初版発行

著	珍田
編集	野田春香
装丁・デザイン	石川明子(プルグラ・フィックス)

発行者	山下直久
編集	佐藤裕紀子(アーティストアライアンス企画課)
出版マーケティング局	近部公子
生産管理局	坂本美香

発行	株式会社 KADOKAWA
	〒102-8177 東京都千代田区富士見 2-13-3
	電話 0570-002-301(ナビダイヤル)
印刷・製本	大日本印刷株式会社

●お問い合わせ
https://www.kadokawa.co.jp/
(「お問い合わせ」へお進みください)
※内容によっては、お答えできない場合があります。
※サポートは日本国内のみとさせていただきます。
※Japanese text only

定価はカバーに表示してあります。